Date: 03/02/12

33 COSAS
que solo hacen los
PADRES

Harriet Ziefert
Ilustraciones de Amanda Haley

1. enfermero

2. compañero de baile

3. aire acondicionado

4. animador

5. oponente

6. cajero automático

7. acompañante

8. diseñador de disfraces

9. cesta de la compra

10. lector de mapas

11. sastre

12. cazador de mariposas

13. cuidador de mascotas

14. despertador

15. taxista

16. cronometrador

17. jardinero

18. peluquero

19. monitor de natación

20. compañero

21. jefe de cocina

22. entrenador

23. arquitecto

24. actor

25. guardia de tráfico

26. caballo

27. paseador de perros

28. abridor

29. planchador

30. barbero

31. encargado del fuego de campamento

32. contador de historias

33. amigo

FIN

Para el padre
de Jon y Jamie
H.Z.

Para mi padre,
por todo el amor
que me dio
A.H.

Primera edición: marzo de 2008

Título original: *33 uses for a Dad*
Dirección editorial: María Castillo
Coordinación editorial: Teresa Tellechea
Traducción del inglés: Teresa Tellechea
Publicado por primera vez en inglés por Blue Apple Books, Maplewood,
Nueva Jersey
© del texto: Harriet Ziefert, 2004
© de las ilustraciones: Amanda Haley, 2004
© Ediciones SM, 2008
Impresores, 2 - Urbanización Prado del Espino
28660 Boadilla del Monte (Madrid)
CENTRO INTEGRAL DE ATENCIÓN AL CLIENTE
Tel.: 902 12 13 23
Fax: 902 24 12 22
clientes@grupo-sm.com
ISBN: 978-84-675-2313-3
Impreso en España / *Printed in Spain*
Depósito Legal: M-305-2008
Imprime: Capital Gráfico S.L.

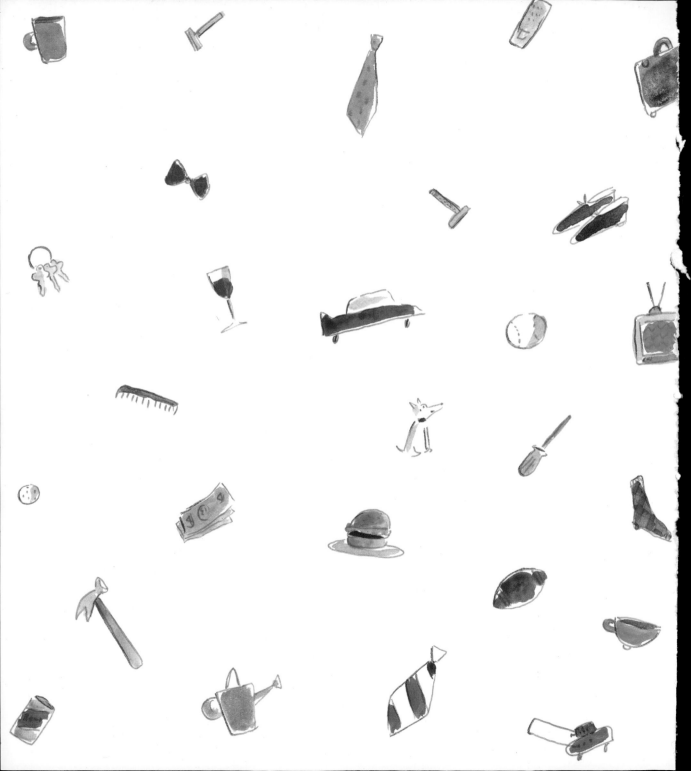